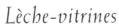

Lèche-vitrines

For Ann

Peter Loewy

Lèche-vitrines

Souvenir de Paris

Kehayoff

Quai Voltaire

Quai Voltaire

Rue Rambuteau

Avenue Montaigne

Rue d'Orsel

Rue de Grenelle

Boulevard Haussmann

Rue du Bac

Rue du Bac

Rue de la Paix

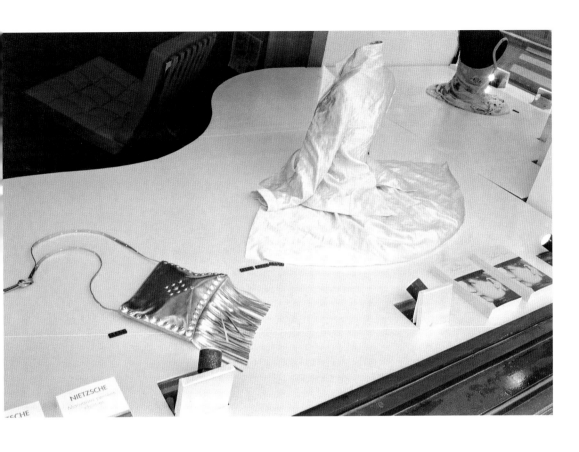

Boulevard Saint-Germain

Rue Royale

Rue Delambre

Rue Royale

Rue de Seine

Rue Vieille-du-Temple

Rue Elzévir

Rue Madame

Rue des Rosiers

Rue de l'Université

Jardin du Palais-Royal

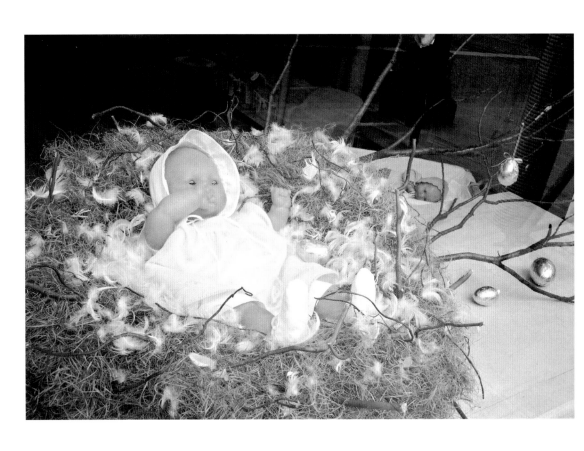

Rue Royale

Place Saint-Sulpice

Rue des Quatre-Vents

Rue Saint-Honoré

Rue Vavin

Rue Saint-Honoré

Rue des Quatre-Vents

Rue Saint-Honoré

Rue Jacob

Boulevard Raspail

Rue Saint-Benoît

Rue du Cherche-Midi

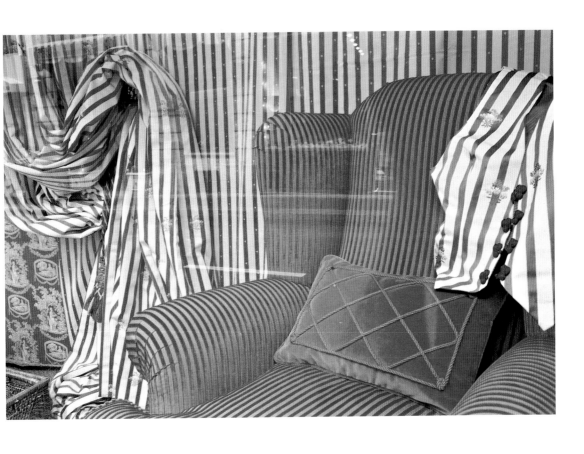

Rue Bonaparte

Rue des Rosiers

Rue Elzévir

Rue Bréa

Rue de l'Université

Jardin du Palais-Royal

Rue de la Bûcherie

Rue Malher

Quai Voltaire

Rue de Grenelle

Rue Bonaparte

Rue Bonaparte

Boulevard de Magenta

Rue Delambre

Rue du Cherche-Midi

Rue de Grenelle

Rue du Bac

Rue Mouffetard

Rue Saint-Antoine

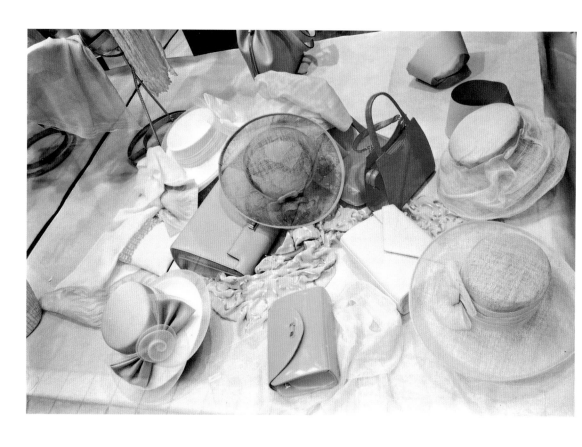

Rue du Temple

Rue de Grenelle

Rue du Bac

Rue du Bac

Place de la Madeleine

Rue de Grenelle

Avenue Mozart

Rue Saint-Sulpice

Rue de Ménilmontant

Rue Racine

Rue Vavin

Rue du Pont Louis-Philippe

Rue des Pyramides

Rue de Grenelle

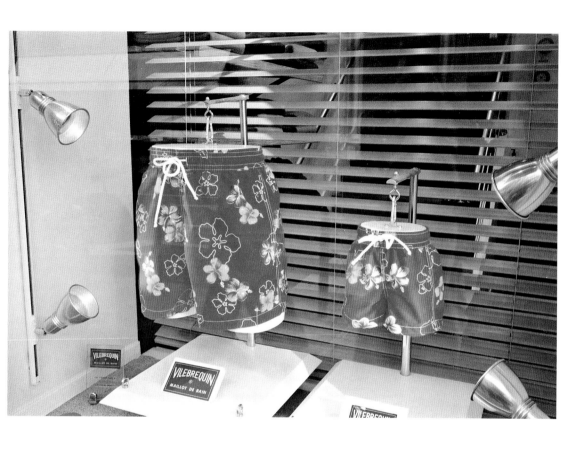

Rue du Vieux Colombier

Rue de Beaune

Rue de la Paix

Rue Balzac

Passage Verdeau

Rue du Bourg-Tibourg

Place Vendôme

Rue Cambon

Rue du Cherche-Midi

Rue du Faubourg Montmartre

Rue de Seine

Rue Vieille-du-Temple

Rue du Pont Louis-Philippe

Rue du Bac

Rue de Grenelle

Quai Voltaire

Passage Jouffroy

Place Vendôme

Jardin du Palais-Royal

Rue du Bourg-Tibourg

Rue de l'Ancienne Comédie

Place de l'Odéon

Rue du Bac

Rue du Faubourg Saint-Honoré

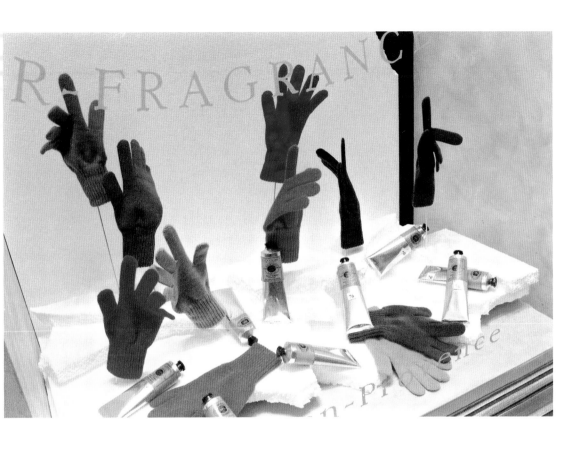

Rue du Bac

Rue du Bac

Boulevard Saint-Germain

Rue Cambon

Rue de Grenelle

Rue du Bac

Boulevard Raspail

Rue Mauconseil

Rue du Bac

Rue Saint-Denis

Avenue Montaigne

Rue du Bac

Rue Saint-Honoré

Rue du Pont Louis-Philippe

Rue du Bac

Rue de la Roquette

Rue Jean-Pierre Timbaud

Rue de Buci

Rue d'Orsel

Avenue d'Italie

Rue du Bac

© 2000 Kehayoff, Munich
© 2000 of the photographs by Peter Loewy / Kehayoff, Munich

Kehayoff
Herzogstrasse 60
D - 80803 Munich
Tel. +49 89 39 01 85
Fax +49 89 33 80 53
info@kehayoff.de
www.kehayoff.de
www.kehayoff.com

Kehayoff books are available worldwide. Please contact your nearest bookseller
or write to our address for information concerning your local distributor.

Typesetting by Andrea Pfeifer, Munich
Lithography by Omniascanners, Milano

Printed and bound in Italy

Die Deutsche Bibliothek - CIP-Einheitsaufnahme

Loewy, Peter:
Lèche-vitrines : souvenir de Paris / Peter Loewy. - Munich : Kehayoff, 2000
ISBN 3-934296-03-3